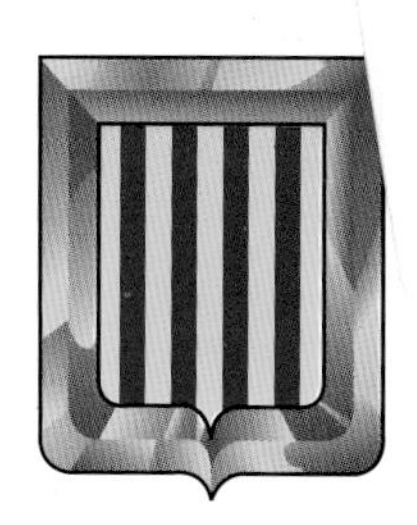

GAUDI

Texte, photographies, mise en page/design et reproduction, entièrement conçues et réalisées par les equipes techniques de EDITORIAL ESCUDO DE ORO, S.A.

Palaudarias, 26 - 08004 Barcelone (Espagne).
e-mail:editorial@eoro.com
http://www.eoro.com

6ème Edition

I.S.B.N. 84-378-1631-9

Dep. Legal B. 1578-2000

Editorial Escudo de Oro, S.A.

(Photographie: Branguli).

Premier plan de la cascade de la Ciutadella.

UN ARCHITECTE GENIAL

Antoni Gaudí Cornet, né le 25 juin 1852 à Reus, est justement considéré comme l'un des plus grands architectes des deux derniers siècles. Ses origines étaient humbles. Son père, son grand-père et son arrière grand-père avaient été chaudronniers.
Il fit ses études de deuxième cycle au College des Religieux de l'ordre de Saint Joseph de Calasanz à Reus et, en 1870, il s'inscrivit à l'Ecole d'Architecture de Barcelone.
Gaudí était un homme passionné doué d'une intelligence peu commune. Ces deux caractéristiques, ajoutées au fait d'être né à Reus au sein d'une famille de chaudronniers, jouèrent un rôle décisif aussi bien dans sa vie que dans son œuvre. L'architecte Salvador Tarragó nous dit que Gaudí «considéra toujours fondamentale son ascendance familiale de chaudronniers et il la revendiquait souvent comme sa source principale qui lui permettait de voir les corps directement dans l'espace et d'en résoudre les problèmes sans avoir besoin de l'aide de la représentation graphique sur le plan».
Entre 1876 et 1878, Gaudí réalisa des

◁ *Vue aérienne de l'étang de la Ciutadella.*

travaux avec les architectes Villar, Sala et Martorell ainsi qu'avec le Maître d'Œuvre Fontseré. Il achève le 4 Janvier 1878 ses études d'architecture et obtient, le 15 Mars de cette même année, le diplôme d'architecte. Il ouvrit un bureau à Barcelone, à la rue Call. Ce fut durant cette année qu'il envoya à Paris, où avait lieu l'Exposition Internationale, le projet de la Cooperativa Mataronense.

En 1883 il réalise un voyage à Banyuls, Elne et Carcassonne et il se charge de la réalisation du projet du temple de la Sagrada Familia.

Entre 1890 et 1894 il se déplace en Andalousie, à León et à Astorga. Il laissa dans ces deux dernières villes une profonde empreinte architecturale.

Il obtint, le 3 Septembre 1901, le Ier prix de l'Hôtel de Ville pour la Casa Calvet.

En 1904 Gaudí visita Palma de Mallorca, ville dans laquelle il revint en 1914. En 1910, Gaudí obtint un grand succès avec son exposition à la Société Générale des Beaux Arts de Paris. L'an suivant il tombe gravement malade à cause des fièvres de Malte et reçoit l'extrême - onction à Puigcerdà.

Durant toute l'année 1914 il travailla exclusivement sur son ambicieux projet de la Sagrada Familia.

Le 7 Juin 1926, Gaudí se fait accrocher par un tramway et meurt trois jours plus tard à Barcelone.

Un des lampadaires de Gaudí sur la place Reial.

Trois détails de la décoration de la Casa Vicens.

MONUMENTS DE GAUDI

L'importance de l'oeuvre de Gaudí a atteint, depuis sa mort, un rang universel. Le grand architecte catalan est l'auteur de nombreux immeubles, considérés de véritables chef d'oeuvres qui vont de la Casa Vicens —située dans la rue Carolinas, dans le populaire quartier barcelonais de Gracia—, décorée avec un goût et une fantaisie singuliers, aux constructions du Parc Güell, en passant par la Sagrada Familia, le Palais Güell, la Pedrera ou le Palais Episcopal de Astorga.

Un aspect de la Casa Vicens. ▷

B·679758

Porte du petit fumoir donnant sur le jardin et deux détails de la décoration de la salle à manger de la Casa Vicens, située rue de les Carolines.

Entrée de la maison construite pour Máximo Díaz de Quijano, connue populairement sous le nom de « El Capricho » à Comillas (province de Santander).

Porte et écuries des Pavillons Güell.

Détail de la porte d'entrée des Pavillons Güell.

Parmi les monuments remarquables de Gaudí situons, en premier lieu la Sagrada Familia de Barcelone.
Il s'agit d'une des œuvres les plus célèbres de Gaudí. Il commença les travaux de construction du Temple de la Sagrada Familia en 1884 et les laissa inachevés à sa mort, en 1926.
La crypte, l'abside et la Façade de la Naissance furent construits sous la direction de Gaudí. En 1952 commença la construction de la Façade de la Pas-

Vue générale du Colegio Teresiano.

Grille en fer forgé du Colegio Teresiano. ▷

sion sous la direction de ses collaborateurs Domènec Sugrañes, Francesc Quintana et Isidre Puig i Boada.

En parlant de la Sagrada Familia, Gaudí dit qu'il ne s'agissait pas de la dernière des cathédrales mais de la première d'une nouvelle série. Il s'agit d'un temple à la construction duquel le génial architecte donna une grande partie de sa vie. La partie la plus appréciée de l'œuvre de Gaudí est la Façade de la Naissance. Elle est formée par quatre tours à la silhouette singulière et possède une grande richesse ornementale avec des sculptures qui symbolisent la Naissance et d'autres passages de la vie de Jésus-Christ. Les tours de Gaudí, qui représentent une des images graphiques de Barcelone les plus connues internationalment, ont une structure

Un aspect du Palais Güell (musée du théâtre).

hélicoïdale, avec des escaliers en colimaçon. C'est le dernier des travaux réalisés par Gaudí.

Les tours de la Sagrada Familia mesurent 100 mètres de hauteur et dominent encore, malgré la construction d'inmeubles considérablement hauts, le panorama urbain de Barcelone.

Une visite au Temple de la Sagrada Familia est presque une obligation pour les milliers de touristes qui se rendent tous les ans à Barcelone.

Le Temple devait se convertir en un centre propulseur de la foi catholique et l'Asociación Espiritual de Devotos de San José, propriétaires de la Sagrada Familia, fut particulièrement aidée depuis le début par Léon XIII, avec des indulgences, des bénédictions et même par les remboursements annuels de la moitié des sommes recueillies par cette Association dans le monde et payées au Vatican, tout ceci dans le but de facilitier les travaux du Temple.

En 1900, le poète Joan Maragall définissait la Sagrada Familia comme la «Cathédrale des pauvres». Elle devint en 1905 la «Nova Catedral» de la «Grande Barcelone».

Sur la gauche de la Façade de la Naissance se trouve ladite porte de l'Espérance qui est couronnée par l'anagramme de Marie et décorée par des scènes de la Sainte Famille. Sur la partie supérieure de la porte de L'Espérance se trouve une roche de la montagne de Montserrat.

Au centre de la Façade de la Naissance s'ouvre la porte de la Charité, ornée de nombreuses plantes sculptées qui symbolisent un chant d'amour à l'Etre Suprême. Le meneau porte l'arbre généalogique de Jésus.

Portes d'entrée du Palais Güell (rue Nou de la Rambla).

Vue d'ensemble du toit en terrasse du Palais Güell depuis la rue Nou de la Rambla.

Coupole du vestibule avec, en bas, les fenêtres de l'étage où sont situées les chambres.

Escalier et lampe liturgique, XXème siècle. Cathédrale de Majorque.

Cathédrale de Majorque. Baldaquin. Clocher.

Deux détails du couronnement des tours de la Sagrada Familia.

Un des autres monuments de Gaudí dignes d'admiration est le Palais Episcopal de Astorga.

La construction commença en 1887 sur une commande de l'évêque Juan Bautista Grau Vallespinós, ami et compatriote de Gaudí, et fut interrompue en 1894, à la mort du prélat. Ce n'est donc que partiellement une œuvre de Gaudí. L'édifice fut achevé en 1915 par l'architecte Guereta qui ne s'ajusta pas au projet architectural de Gaudí.

Le Palais est actuellement le siège du Museo del Camino de Santiago.

Signalons aussi la Casa de los Botines, sise dans la capitale léonaise.

Elle fut construite par Gaudí entre 1891 et 1894 pour les Fernández-Andrés commerçants de tissus installés à León. Cette grande maison se dresse au centre de la capitale léonaise. Le rez-de-chaussée et le sous-sol furent conçus par l'architecte pour y emmagasiner les tissus, le premier étage pour habitat des propriétaires et les autres étages de l'immeuble pour des appartements à louer.

Les lignes sobres qui caractérisent les façades de la Casa de los Botines —construite en pierre— forment une image originale dans le contexte urbain de la ville. La façade principale possède de petites tours dans les angles et des grilles intéressantes.

La Casa de los Botines se dresse sur la Plaza de San Marcelo de León et est un des attraits touristiques de la ville.

Les célèbres tours de l'Église Expiatoire de la Sagrada Familia.

Détail du groupe sculpté qui symbolise le Massacre des Innocents.

Dans l'architecture de Gaudí remarquons la belle Casa de Figueras.
Cette maison, réalisée par Gaudí entre 1900 et 1902 est aussi connue sous le nom de «Bellesguard». Elle se trouve sur un flanc du Tibidabo et domine un magnifique panorama de Barcelone qui va de la mer à la montagne. Il y avait autrefois, sur ces terrains privilégiés, une résidence secondaire construite par le roi Martin I «el Humano».
Gaudí profita des ruines de la maison royale pour construire le vestibule d'entrée de la maison. La Casa de Figueras est une petite construction élégante harmonieusement intégrée dans le paysage magnifique du Tibidabo. Les pierres vertes et grises de la maison furent extraites sur le terrain même et elles s'adaptent parfaitement au vert prédominant du paysage qui l'entoure.
Une conjugaison d'arcs et de voûtes en brique forme les plafonds de l'intérieur de la maison. Chaque chambre a un plafond différent. Le plus intéressant est celui du grenier. Il est considéré par les techniciens en architecture comme «l'un des espaces les plus réussis» de l'œuvre géniale de Gaudí. Les fers forgés —lances alignées— de l'entrée de la propriété, le magnifique patio des escaliers d'entrée à la maison et les grilles en fer forgé des fenêtres du rez-de-chaussée, sont aussi très intéressants.
La Casa de Figueras est un des petits joyaux architecturaux de Gaudí.

Le groupe de la Sainte Famille (sculpture de J. Busquera). ▷

Extrémité des clochers de la façade de la Passion, construits par les successeurs de Gaudí.

Divers aspects de la Sagrada Familia. ▷

Le porche du Rosaire (1889).

Vue actuelle de l'église, la nuit. ▷

Le porche de la Charité, côté façade de la Nativité, représente un grand cyprès — l'église — où les oiseaux — les fidèles — viennent se réfugier.

Les aiguilles et leur forme torsadée.

Intérieur d'un clocher. ▷

Escaliers des tours de la façade de la Nativité de la Sagrada Familia.

Ensemble de la façade de la Passion. État actuel.

Sculptures Josep M. Subirachs.

Façade du Palais Épiscopal d'Astorga.

La Casa Calvet compte parmi les monuments les plus intéressants de l'architecture civile de Gaudí.
Cet immeuble caractéristique fut construit entre 1898 et 1904. C'est une typique maison bourgeoise de la Barcelone de l'*Ensanche,* construite pour don Pedro M. Calvet, un fabricant de tissus de Barcelone.
On retrouve sur les deux façades le style

architectural particulier de Gaudí qui, cette fois-ci, s'incline vers le baroque au lieu de le faire, comme toujours, vers le gothique. Tout le mobilier de la Casa Calvet fut dessiné par Gaudí. Celui du rez-de-chaussée est en chêne et celui du premier étage est tapissé. Les meubles sont ornés de motifs inspirés par la nature.

L'une des oeuvres les plus caractéristi-

Un aspect de l'intérieur du Palais.

Place de San Marcelo, avec, au fond, la Casa de los Botines.

ques de l'architecture civile de Gaudí est la Casa Batlló.
Elle se trouve au Paseo de Gracia de Barcelone, à côté de la Casa Amatller, œuvre de Puig i Cadafalch. Gaudí réalisa la transformation de l'ancien immeuble à la demande de la famille Batlló, riches fabricants de tissus. Les travaux commencèrent en 1904 et s'achevèrent deux ans plus tard.
A cette époque, Gaudí traverse une période de création intense. Son style original c'est imposé et il est reconnu comme un architecte de génie jouissant d'une popularité sans égale à l'époque.
La capacité de création de Gaudí se manifeste non seulement dans les travaux architecturaux qu'il réalise lors de la transformation de la Casa Batlló mais aussi dans le dessin des meubles. Les meubles de la salle à manger sont un témoin important de la sensibilité plastique de Gaudí. Après la disparition de cette pièce de la Casa Batlló, les meubles furent transportés à la Maison-Musée Gaudí, au Parc Güell.
Nous admirerons la céramique vitrifiée, bleutée, qui recouvre les murs intérieurs de la Casa Batlló, le magnifique patio des escaliers et les meubles dessinés par

Gaudí qui se trouvent au premier étage. Signalons aussi le grenier et la terrasse, qui appartiennent aussi aux travaux de transformation réalisés par Gaudí, et leur originale décoration. Sur la façade qui donne sur le Paseo de Gracia, nous remarquerons le dragon qui dresse son dos d'écailles entre une tour et une croix à cinq bras. La tribune du premier étage est purement gaudienne et donc très belle.
La Casa Milà est certainement l'oeuvre la plus originale de l'architecture civile de Gaudí.

Porte d'entrée et un détail de la Casa de los Botines.

Un détail des vitraux de «Bellesguard».

Un aspect de l'escalier intérieur.

Ce singulier édifice, populairement connu sous le nom de La Pedrera, se trouve au Paseo de Gracia et fut construit par Gaudí entre 1906 et 1910.
Il s'agit de l'une des œuvres les plus réussies de Gaudí. «La Pedrera —dit l'architecte Salvador Tarragó— est la manifestation plastique et architecturale de sa conception de la nature. Collins la définit comme «une montagne construite par la main de l'homme».

Façade de la Casa de Figueras ou «Bellesguard».

Miroir du vestibule d'entrée.

Ascenseur et escalier menant aux appartements. ▷

Façade arrière de la Casa Calvet.

Divan et chaise en chêne du bureau du rez-de-chaussée de la Casa Calvet.

Détail du divan du bureau situé au rez-de-chaussée de la Casa Calvet. ▷

Effectivement, cette colossale falaise architecturale trouée, avec son énorme mouvement de façade qui nous rappelle une mer de pierre furieuse et immobilisée, avec «la patine de la pierre, enrichie par les plantes grimpantes et les fleurs des balcons, qui auraient donné une couleur constamment variée à la maison» comme le disait Gaudí lui-même, et la ferme expression de la volonté anticlassique et romantique de naturaliser l'architecture».

La Pedrera est considérée l'édifice le plus original de l'architecture civile de Barcelone et un lieu de visite obligatoire pour les touristes étrangers qui se rendent dans la ville. Les patios et les appartements sont aussi intéressants que la façade.

Façade de la Casa Batlló.

Couloir du grenier et patio intérieur de l'escalier de la Casa Batlló.

Escalier menant à l'étage principal. ▷

Détail de la crête du dragon, dont les écailles sont sur le versant de la façade du Passeig de Gràcia, avec les tours et la croix à cinq bras.

Cheminée de l'étage principal et un aspect de l'intérieur de la Casa Batlló.

L'escalier principal du Parc Güell.

Détail d'un élément sculpté, au centre de l'escalier principal.

Le Parc Güell est l'un des plus beaux exemples de l'originalité architecturale de Gaudí.

Cette œuvre, la plus important et populaire de Gaudí, fut commencée en 1900 et achevée en 1914. A la demande de don Eusebio Güell, l'architecte devait construire une cité-jardin avec 60 maisons. Le Parc Güell occupe les terrains de la propriété de Can Montaner de Dalt (Montaña Pelada).

On construisit le mur d'enceinte, deux pavillons d'entrée, de grands escaliers et un temple de style dorique sur lequel se trouve une grande place et les viaducs des terre-pleins de la route d'entrée au parc.

Il n'y a dans le parc que deux maisons. L'une d'elles est l'actuel Musée Gaudí, œuvre de Francisco Berenguer, et Gaudí l'habita de 1906 à sa mort.

Selon Salvador Tarragó, «Gaudí réalisa, avec la création du Parc Güell, le seul modèle urbain réellement nouveau de l'époque modern style. Il sépara la circulation des piétons de celle des voitures et donna des parcours différents à chacune d'elles; les piétons circulaient par des escaliers et des sentiers beaucoup plus en pente que la route intérieure destinée aux voitures à chevaux et aux voitures automobiles et qui n'avait qu'une inclinaison maximum de 6 %. Quelques-fois les deux voies se

Entrée principale du Parc Güell.

Détail du toit de la maison de gardien. Les éléments verticaux sont préfabriqués et servent de rambarde. La petite coupole du haut est une cheminée.

Colonnade inférieure du Parc Güell.

superposaient et alors que la partie supérieure des viaducs était utilisée par les véhicules, la partie inférieure servait de porches couverts qui protégeaient du soleil et de la pluie les piétons, durante une partie du trajet jusqu'à la parcelle de terrain».
Si l'œuvre réalisée par Gaudí au Parc Güell fut une grande réussite architecturale, ce fut un échec total au point de vue économique car il ne vendit que deux des 60 parcelles de terrains destinées à la construction de maisons. Le Parc Güell fut un jardin privé jusqu'à ce que les descendants de don Eusebio Güell en firent donnation —vers 1920— à la Mairie de Barcelone afin de le convertir en jardin public.
Le béton armé fut employé pour la première fois en Espagne lors de la construction de cette grande œuvre de Gaudí. Le célèbre banc ondulant de la place est d'une beauté extraordinaire. On utilisa pour sa construction des azulejos multicolores qui recouvrent les voûtes en briques.
Gaudí réalisa la construction des voûtes de la colonnade et le revêtement du banc de la place en collaboration avec son disciple José María Jujol, créateur des beaux collages —en utilisant des verres, des bouteilles et des morceaux

Vue aérienne du Parc Güell et dragon situé sur l'escalier principal.

Un aspect de la silhouette au blanc éblouissant de la tour de la maison de gauche, à l'entrée du Parc Güell.

Détails d'un banc du Parc Güell. ▷

Plafond décoratif — une œuvre de J. Jujol, suspendu sous la place.

Promenade-viaduc inférieure. Les voûtes sont en brique recouverte de pierre.

de céramique— précurseurs des créations de la peinture abstraite et surréaliste.
Bien qu'il s'agisse d'une oeuvre peu connue de Gaudí, l'Escuela de la Sagrada Familia ne manque pas d'intérêt.
En un an, Gaudí acheva cette construction —commencée en 1909 et achevée en 1910— pour laquelle il réalisa de simples cloisons courbées et une toiture ondulée faite de briques très grosses.
Lorsque Le Corbusier contempla ce petit chef d'œuvre de Gaudí, en 1928, il éprouva une profonde admiration et y puissa l'inspiration pour d'autres futures créations.
Les beaux lampadaires de la Plaza Real

Escalier de l'église de la Colonie Güell.

Un aspect de l'intérieur de la crypte de l'église.

furent réalisées par Gaudí au début de sa carrière d'architecte.
Ils sont en fonte et furent commandés à Gaudí en 1878 par la Mairie de Barcelone afin d'être installés sur la Plaza Real —à côté de la Rambla—, œuvre construite par Daniel Francisco Molina Casamajó entre 1848 et 1859 sur les terrains autrefois occupés par le Couvent des Capucins.
Alors qu'il était encore étudiant en architecture, Gaudí réalisa, sous les ordres de José Fontseré Mestres, plusieurs détails de la Cascade Monumentale et la balustrade du monument à Aribau au Parc de la Ciudadela.

Vue aérienne de la Casa Milà.

Les balcons de la façade principale de La Pedrera. ▷

Il faut remarquer, dans l'oeuvre architecturale de Gaudí, la construction de la Colonia Güell.

L'église de la Colonia est située au pied d'un petit monticule. Elle est entourée par la forêt, à Santa Coloma de Cervelló, où le comte Güell fit construire une usine de tissus et, à côté, une cité ouvrière qui fut semblet-il réalisée par Francisco Berenguer, collaborateur de Gaudí. C'est à Gaudí que l'on doit la réalisation du temple dont la construction commença en 1898 et qui fut paralisée en 1915.

L'église de la Colonia présente des voûtes avec des cloisons en brique. «Mais —signale S. Tarragó— son application ne se limite pas à l'usage traditionnel de ces structures élastiques car, développant incroyablement ses possibilités, il invente des applications nouvelles, comme ces paraboloïdes hyperboliques. C'est pour cela que la crypte est un inventaire complet de toutes les structures qu'il est possible d'obtenir en utlisant la brique».

Gaudí réussit à dépasser, lors de la construction de ce chef d'œuvre, les coordonnées architecturales du gothique et à offrir une nouvelle solution structurale qui ouvrira des voies jusqu'alors inédites sur le terrain de l'architecture.

Au fur et à mesure que le temps passe, l'admiration universelle pour Gaudí et son œuvre grandit.

Porte d'entrée de la Casa Milà.

Détail d'une cheminée de la Casa Milà. ▷

Groupe de cheminées et accès au toit-terrasse de la Casa Milà.

Vue intérieure du patio de la rue Provença.

Cheminées sur le toit-terrasse de la Casa Milà. ▷

Ce livre a été fini d'imprimer aux ateliers
FISA - ESCUDO DE ORO, S.A.
Palaudarias, 26 - Barcelone (Espagne)